中国工程建设协会标准

双卡压式连接不锈钢燃气管道技术规程

Technical specification for double press stainless steel gas pipeline

CECS 461:2016

主编单位:深圳雅昌管业有限公司
批准单位:中国工程建设标准化协会
施行日期:2017年4月1日

中国计划出版社

2016 北 京

中国工程建设协会标准
双卡压式连接不锈钢燃气管道
技 术 规 程
CECS 461:2016

☆

中国计划出版社出版发行
网址:www.jhpress.com
地址:北京市西城区木樨地北里甲11号国宏大厦C座3层
邮政编码:100038 电话:(010)63906433(发行部)
廊坊市海涛印刷有限公司印刷

850mm×1168mm 1/32 1.5印张 34千字
2017年4月第1版 2017年4月第1次印刷
印数1—2080册

☆

统一书号:155182·0080
定价:18.00元

版权所有 侵权必究
侵权举报电话:(010)63906404
如有印装质量问题,请寄本社出版部调换

中国工程建设标准化协会公告

第271号

关于发布《双卡压式连接不锈钢燃气管道技术规程》的公告

根据中国工程建设标准化协会《关于印发〈2012年第二批工程建设协会标准制订、修订计划〉的通知》(建标协字〔2012〕127号)的要求,由深圳雅昌管业有限公司等单位编制的《双卡压式连接不锈钢燃气管道技术规程》,经本协会城镇燃气专业委员会组织审查,现批准发布,编号为CECS 461：2016,自2017年4月1日起施行。

中国工程建设标准化协会
二〇一六年十二月二十八日

前　言

根据中国工程建设标准化协会《关于印发〈2012年第二批工程建设协会标准制订、修订计划〉的通知》(建标协字〔2012〕127号)的要求,规程编制组经过广泛调查研究,认真总结实践经验,参考国外有关标准,并在广泛征求意见的基础上,制定本规程。

本规程共分6章和1个附录,主要内容包括：总则、材料、设计、施工、试验、验收等。

本规程由中国工程建设标准化协会城镇燃气专业委员会归口管理并负责解释(地址：天津市华苑产业区桂苑路16号中国市政工程华北设计研究总院有限公司,邮政编码：300384)。在使用中如果发现需要修改和补充之处,请将意见和资料寄往解释单位。

主 编 单 位：深圳雅昌管业有限公司
参 编 单 位：宁波市华涛不锈钢管材有限公司
　　　　　　浙江正同管业有限公司
　　　　　　浙江正康实业有限公司
　　　　　　广州美亚股份有限公司
　　　　　　维格斯(上海)流体技术有限公司
　　　　　　四川岷河管道建设工程有限公司
　　　　　　浙江汉君金属制品有限公司
　　　　　　浙江中捷管业有限公司
　　　　　　深圳市民乐管业有限公司
　　　　　　沧州市三庆工贸有限公司
　　　　　　中国市政工程华北设计研究总院有限公司

主要起草人：陈卫东　王　岚　赵志江　何世涛　黄建聪
　　　　　　　高胜华　赵锦添　王跃强　严安迅　苏光彬
　　　　　　　郑　炜　贾福庆　刘　斌
主要审查人：张　臻　赵自军　应援农　赵　刚　王红妹
　　　　　　　高　勇　郑　涛　吴文庆　黄陈宝

目 次

1 总 则 …………………………………………………（1）
2 材 料 …………………………………………………（2）
　2.1 材料选用 ………………………………………（2）
　2.2 材料的性能要求 ………………………………（2）
3 设 计 …………………………………………………（3）
　3.1 一般规定 ………………………………………（3）
　3.2 沿外墙敷设的管道 ……………………………（4）
　3.3 室内敷设的管道 ………………………………（5）
　3.4 管道附件 ………………………………………（5）
4 施 工 …………………………………………………（10）
　4.1 一般规定 ………………………………………（10）
　4.2 材料管理 ………………………………………（10）
　4.3 施工准备 ………………………………………（11）
　4.4 安装 ……………………………………………（11）
5 试 验 …………………………………………………（14）
　5.1 一般规定 ………………………………………（14）
　5.2 强度试验 ………………………………………（14）
　5.3 严密性试验 ……………………………………（15）
6 验 收 …………………………………………………（16）
附录 A 卡压工具使用要点 ……………………………（17）
本规程用词说明 …………………………………………（22）
引用标准名录 ……………………………………………（23）
附:条文说明 ……………………………………………（25）

Contents

1 General provisions ······ (1)
2 Materials ······ (2)
   2.1 Material selection ······ (2)
   2.2 Performance requirements of Materials ······ (2)
3 Design ······ (3)
   3.1 General requirements ······ (3)
   3.2 The pipes laying along the outer wall ······ (4)
   3.3 Pipes laying indoor ······ (5)
   3.4 Accessory equipment ······ (5)
4 Construction and installation ······ (10)
   4.1 General requirements ······ (10)
   4.2 Materials Management ······ (10)
   4.3 Preparation for construction ······ (11)
   4.4 Installation ······ (11)
5 Test ······ (14)
   5.1 General requirements ······ (14)
   5.2 Strength test ······ (14)
   5.3 Tightness test ······ (15)
6 Acceptance ······ (16)
Appendix A Press tool and use ······ (17)
Explanation of wording in this specification ······ (22)
List of quoted standards ······ (23)
Addition: Explanation of provisions ······ (25)

1 总 则

1.0.1 为规范双卡压式连接不锈钢燃气管道(以下简称燃气管道)的设计、施工及验收,保证工程质量和供气安全,制定本规程。

1.0.2 本规程适用于设计压力不大于 0.4MPa、公称尺寸不大于 DN100 的城镇燃气用户工程燃气管道的设计、施工和验收。

1.0.3 燃气管道的设计、施工及验收除应符合本规程的规定外,尚应符合国家现行有关标准的规定。

2 材 料

2.1 材料选用

2.1.1 不锈钢管、双卡压式管件和橡胶密封圈的材质与规格应符合现行行业标准《燃气输送用不锈钢管及双卡压式管件》CJ/T 466 的有关规定。

2.1.2 管道支架及配件应采用不锈钢材料，材质牌号宜采用 S30408 或与不锈钢管、管件一致；螺丝扣件应选用维氏硬度不低于 200 的不锈钢，且不与管道产生电化学腐蚀的材料。

2.1.3 暗埋管道应采用覆塑不锈钢管。

2.2 材料的性能要求

2.2.1 不锈钢燃气管道选用的材料及力学性能应符合表 2.2.1 的要求。

表 2.2.1 不锈钢燃气管道选用的材料及力学性能

统一数字代号	牌　号	抗拉强度（MPa）	断后伸长率（%）
S30408	06Cr19Ni10	≥515	≥40
S30403	022Cr19Ni10	≥485	
S31608	06Cr17Ni12Mo2	≥515	
S31603	022Cr17Ni12Mo2	≥485	
S11972	019Cr19Mo2NbTi	≥415	≥20
S22253	022Cr22Ni5Mo3N	≥620	≥25

注：本规程宜采用 S31608、S31603 和 S11972 牌号的不锈钢材料；用于室外或者室内腐蚀环境宜采用 S31603、S31608、S11972 和 S22253。

2.2.2 不锈钢管应进行抗拉强度、延伸率、压扁、涡流探伤和气密性试验；管和管件的组合件应进行强度、气密性和拉拔试验。

3 设 计

3.1 一般规定

3.1.1 燃气管道及其管道附件的设计使用寿命不应少于 30 年，暗埋管道的设计使用寿命不应少于 50 年。

3.1.2 燃气管道的耐高温性能应符合现行行业标准《燃气输送用不锈钢管及双卡压式管件》CJ/T 466 的有关规定。

3.1.3 引入管应符合现行国家标准《城镇燃气设计规范》GB 50028 的有关规定。

3.1.4 燃气管道沿墙水平敷设时与实际地面距离应大于 50mm。

3.1.5 燃气管道在连接阀门时，应安装活接头，以便管道维修。

3.1.6 与阀门等管道附件连接时可采用螺纹连接、法兰连接或焊接。

3.1.7 燃气管道穿过建筑物墙壁、楼板时，应加设钢套管，套管内管道不得有接头（图 3.1.7）。

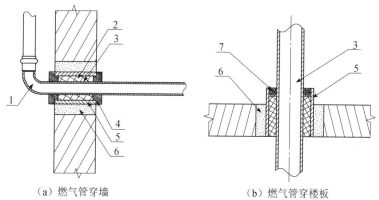

（a）燃气管穿墙　　　（b）燃气管穿楼板

图 3.1.7　穿墙和穿越楼板的管道安装

1—90°弯头；2—中性柔性填料；3—薄壁不锈钢管；4—封盖；5—钢套管；
6—水泥砂浆；7—封堵

3.1.8 穿墙套管两端应与墙面平齐,穿楼板套管上端高出楼板50mm,管道与套管之间应留有间隙,并用无腐蚀的柔性防水材料填充,套管与承重墙、地板或楼板之间的间隙应填实,端口用建筑密封胶封堵。管道穿墙或穿越楼板所用套管尺寸应符合表3.1.8的规定。

表 3.1.8 穿墙和穿越楼板套管的主要尺寸

燃气管(DN)	15	20	25	32	40	50	65	80	100
套管(DN)	32	40	50	65	65	80	100	125	150

3.1.9 燃气管道的抗震设计应符合现行国家标准《建筑机电工程抗震设计规范》GB 50981的有关规定。

3.2 沿外墙敷设的管道

3.2.1 沿外墙敷设的燃气管道距建筑物门、窗洞口的间距应符合现行国家标准《城镇燃气设计规范》GB50028的有关规定。

3.2.2 燃气管道与其他管线平行或交叉敷设时,其间距应符合现行国家标准《城镇燃气设计规范》GB50028的有关规定。

3.2.3 管道距墙的净距应考虑墙面装饰空间要求,外墙敷设管道不应小于100mm。

3.2.4 燃气管道应使用支架固定在墙面或建筑物的结构上,支撑形式、支架间距和设置应符合本规程第3.4.3条~3.4.10条的规定。

3.2.5 燃气管道应根据管道长度、环境温度等因素设置补偿装置,设置要求、安装方法应符合本规程第3.4.11条~3.4.15条的规定。

3.2.6 燃气管道应设置在建筑物的避雷保护范围区域内,宜安装在建筑物的凹形阴角及水平外挑沿的下方,不得布置在屋面上的檐角、屋脊等易受雷击的部位。

3.2.7 燃气管道应做接地连接,接地连接应采用接地线卡箍的方法,卡箍与管道的接触面积不应小于70%,卡箍的宽度不应小于管子壁厚的30倍,材质应与管道的牌号一致。

3.3 室内敷设的管道

3.3.1 管道的敷设应符合现行行业标准《城镇燃气室内工程施工与质量验收规范》CJJ 94 的有关规定。

3.3.2 燃气管道不应穿越建筑留用的沉降缝,不应穿过人行过道、易燃易爆物品仓库、配电间、变电室、电梯井、电缆(井)沟、烟道、进风道和垃圾道,不应穿过卧室、客厅等场所。

3.3.3 燃气管道的敷设宜选择明装和暗封形式,不应在承重的墙、柱、梁、板中暗埋,不应敷设于室内地面内和地板下。

3.3.4 当管道暗埋时应采用焊接方式连接,暗埋管道路径管槽不应与电路或水路交叉或重叠,其覆盖层厚度不应小于10mm。

3.3.5 室内燃气管道与装饰后墙面的净距应符合表3.3.5的规定。

表3.3.5 室内燃气管道与装饰后墙面的最小净距(mm)

公称尺寸DN	<25	25~40	50	>50
与墙最小净距	30	50	70	90

3.3.6 水平方向敷设的燃气管道不得敷设在燃气灶具和热水器上方600mm以内以及其他容易形成高温的场所或暖气烘烤的部位。

3.3.7 垂直方向敷设的燃气管道与灶具的灶面边缘或烤箱侧壁的水平净距应大于300mm,与燃气热水器的水平净距应保证燃气管道不受燃气热水器点燃时辐射热的影响。

3.3.8 与用气设备连接的燃气管道末端应可靠地固定在墙面或其他建筑物上;与其连接的阀门应符合现行行业标准《建筑用手动燃气阀门》CJ/T 180 的有关规定。

3.4 管道附件

3.4.1 当管道公称尺寸小于或等于DN50时,与管道附件及设备之间的连接可采用螺纹连接或法兰连接;当公称尺寸大于

*DN*50 时应采用法兰连接。

3.4.2 燃气管道与阀门、燃气表、仪表等配套设备的连接,可通过转换接头或活接头连接,但应在不产生电化学腐蚀效应的材料之间直接连接。

3.4.3 抗震设防烈度为 6 度以上地区的燃气管道应安装抗震支架,其技术参数及设置安装、方法应符合现行国家标准《建筑机电工程抗震设计规范》GB 50981 和《建筑抗震设计规范》GB 50011 的有关规定。

3.4.4 燃气管道应采用不锈钢管卡、不锈钢直角支架或不锈钢角钢支架固定。

3.4.5 *DN*32 及以下管道宜采用管卡固定,*DN*32～*DN*50 的管道宜采用管卡或直角支架固定,*DN*65 的管道宜采用直角支架固定,也可使用角钢支架固定,*DN*65 以上和中压管道应设置不锈钢角钢支架固定,角钢的厚度不应小于 2.0mm;当管道采用 3 根及以上同一平面并排布置时,宜采用专用的不锈钢排架式管卡固定,排架式管卡的厚度不应小于 0.8mm。

3.4.6 燃气管道的支撑不得设在管件连接口处,管道转弯两侧 0.5m 以内应设管道支架。三通、阀门等处应设置支架固定。

3.4.7 燃气管道支架和管卡的安装不应妨碍固定件管道的自由膨胀和收缩。

3.4.8 燃气管道采用的支撑形式宜按表 3.4.8 选择,高层建筑室内燃气管道的支撑形式应符合设计要求。

表 3.4.8　燃气管道采用的支撑形式

公称尺寸 *DN*	安 装 部 位		
	砖砌墙壁混凝土制墙板	空心墙板	楼板、梁
15～25	管卡、排卡	管卡、夹壁管卡	吊架
32～40	管卡、直角支架	夹壁管卡	吊架
50～65	直角支架、角钢支架	夹壁管卡	吊架
>65	角钢支架	—	吊架

3.4.9 燃气管道支架的间距应符合表3.4.9的规定。

表3.4.9 燃气管道支架间距（mm）

加支架间距	公称尺寸DN			
	15～20	25～32	40～65	80～100
水平敷设支、吊架间距	800～2000	1200～2500	1500～3000	2000～3500
垂直敷设支架间距	1000～2000	1200～2500	2000～3000	2500～3500

3.4.10 管卡的尺寸应符合表3.4.10的规定，并应采用膨胀螺栓嵌入墙内固定。膨胀螺栓的长度应视现场安装需要而定；盖型管卡的厚度不应小于1mm，宽度应为20mm。

表3.4.10 管卡的尺寸

型号	管子外径（mm）	十字圆头螺钉
GK-DN15	16	M4×16
GK-DN20	20	M4×16
GK-DN25	25.4	M4×16
GK-DN32	32	M5×20
GK-DN40	40	M5×25
GK-DN50	50.8	M5×25

3.4.11 燃气管道应合理配置伸缩补偿器装置，明装或暗封的不锈钢燃气管道的轴向补偿，应按设计要求确定。当管道的公称尺寸不大于DN50时，宜采用自然补偿形式（图3.4.11）；当管道的公称尺寸大于DN50时，宜设置不锈钢波形膨胀节，其补偿量应按1.21mm/m计算。

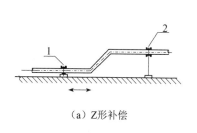

（a）Z形补偿

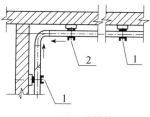

（b）L形补偿

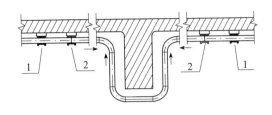

（c）Π型补偿

图 3.4.11 自然补偿的形式
1—固定支架；2—活动支架

3.4.12 管道伸缩长度应按下式计算：
$$\Delta L = a \cdot L \cdot \Delta T \quad (3.4.12)$$
式中：ΔL——自固定点起管道的伸缩长度(mm)；

a——奥氏体薄壁不锈钢管线膨胀系数，按 S30408 材料取 0.0172mm/(m·℃)；

L——计算管道段的管道长度(m)；

ΔT——计算温差(℃)。

3.4.13 不锈钢波型膨胀节的技术参数及使用条件应符合现行国家标准《金属波纹管膨胀节通用技术条件》GB/T 12777 的有关规定。

3.4.14 管道应合理设置支撑（固定支架或活动支架），以控制管道的伸缩方向，在两固定支架之间，只能设置一个补偿器且宜靠近支架处。

3.4.15 补偿器的设置应符合下列规定：

1 自然补偿宜采用 Z 形补偿、L 形补偿或 Π 形补偿。Z 形补偿固定支架距弯头的距离应为管径的 4 倍，角度应为 135°；L 形补偿的固定支架距弯头处的距离应为 10m～20m；Π 形补偿固定支架距 Π 形补偿中心的距离应为 15m～20m；直线管段活动支架的最大间距应符合表 3.4.15 的规定。

表 3.4.15　自然补偿直线管段活动支架的最大间距（m）

公称尺寸 DN	10～15	20～25	32～40	50～65	80～100
垂直管道间距	1.5	2.0	2.5	3.0	3.5
水平管道间距	1.0	1.5	2.0	2.5	3.0

2 波形补偿应符合下列规定：

1）当管道公称尺寸小于 DN65 时，应采用双卡压式直接头管件连接；当管道公称尺寸大于或等于 DN65 时，应采用法兰式连接或氩弧焊连接，连接处应光滑，无杂质、气孔、裂纹和锈迹；

2）波形膨胀节的波数，应按管道固定支架内管道长度和膨胀节的理论特性经计算伸缩量确定，选择波数时应计算其弯曲变形、疲劳寿命和安全系数，宜按增加30％波数选择规格；

3）波纹数量应按不引起轴向失稳的极限内压值（0.6MPa）计算出的最大波数；

4）波形膨胀节的补偿量应满足设计要求；

5）波形膨胀节需用疲劳寿命应按1000次设计。

4 施 工

4.1 一般规定

4.1.1 燃气管道工程施工应按已通过审核或审定的设计文件实施,应按图施工,编制预算,备料和备施工工具,并应按设计施工要求进行安装。当修改设计或变更材料时,应经原设计单位同意,重大变更应报原审图单位审查批准。

4.1.2 燃气管道工程使用的组成件应按设计文件选用,当设计文件无明确规定时,应符合现行国家标准《城镇燃气设计规范》GB 50028的有关规定。

4.1.3 燃气管道工程的施工应由持有相应资质证书的单位承担。

4.1.4 从事燃气管道施工的人员应经过专业培训并考核合格,方可上岗作业。

4.1.5 燃气管道的标识应符合现行行业标准《城镇燃气标志标准》CJJ/T 153的有关规定。

4.2 材料管理

4.2.1 对进场的不锈钢管、管件及配件应由监理或建设单位进行验收。

4.2.2 对进场的每批不锈钢管和管件,应按产品的来件资料进行核对,内容包括供方名称、产品名称、材料牌号、标准号、批号、净重或根数。开箱后,应按现行行业标准《燃气输送用不锈钢管及双卡压式管件》CJ/T 466的有关规定和生产企业产品标准规定进行规格尺寸、外观和气密性的抽样检查或进行全面检验。必要时,供需双方和监理方可共同见证,向有资质的检测单位进行送检。

4.2.3 对进场不锈钢管、管件及配件应验收其产品使用说明书、产品合格证、质量保证书、各项性能检验报告（含材料牌号和化学成分检验报告）等相关资料，同时应具有国家主管部门认可的检测机构出具的产品质量检验合格报告。对公称尺寸大于或等于DN50的不锈钢管和管件，生产企业应具有国家特种设备（压力管道）制造许可证。

4.2.4 不锈钢管和管件应储存在无腐蚀介质的环境内，严禁与其他金属接触，也不得与混凝土及砂砾等物质接触。

4.2.5 不锈钢管应将不同规格分别堆放，并做好标识，不锈钢管两端应加装堵帽。管件应装箱并逐层堆放整齐，不宜过高，应确保不倒塌，并便于存取和管理。

4.2.6 不锈钢管管件搬动时，应小心轻放，不得抛摔和拖拽，现场不得踩踏，严禁剧烈撞击；钢管需要吊装时，应采用非金属绳捆扎。

4.3 施工准备

4.3.1 施工前应根据施工图纸和现场情况编制施工方案，报建设单位和监理单位审批。

4.3.2 施工机具和材料供应等能够保证正常施工，卡压设备及配套的压力表应在校验期内，并应符合本规程附录A的规定。

4.3.3 切割不锈钢管应采用专用割刀或砂轮切割机，当采用砂轮切割或去除毛刺时，应采用专用砂轮片，该砂轮片不得与切割其他金属钢管混同使用。

4.3.4 管道的法兰连接应符合现行行业标准《城镇燃气室内工程施工与质量验收规范》CJJ 94的有关规定，不锈钢法兰使用的非金属垫片，其氯离子含量不得超过50×10^{-6}。

4.4 安 装

4.4.1 管道施工安装应确认走向放线，保证水平垂直度符合施工验收规范。

4.4.2 支架孔位应准确，保证管线的平直度。

4.4.3 安装支架前应对孔位进行校核,支架应安装牢固,横平竖直,保证管位;不锈钢管支架的根部应支撑在地面、钢筋混凝土柱、架、墙面上。

4.4.4 管道的接头和紧固件与相邻排应交错布置,错位安装。

4.4.5 切割钢管时,宜采用手动割刀或不锈钢专用机械齿锯,并应计量配管尺寸,钢管端部的切斜应符合表4.4.5的规定。

表4.4.5 钢管端部的切斜（mm）

钢管外径 D_w	切　　斜
≤20	≤1.5
>20～50.8	≤2.0
>50.8～101.6	≤3.0

4.4.6 落料端口应清除内外毛刺,消除端口锋利管边,严防刮伤密封圈;切口端面应平整,无裂纹、毛刺、凹凸、严重缩口、火色残渣等。

4.4.7 钢管插入管件前,应采用画线笔在管端做插入深度标记画线,以保证钢管插入到位。

4.4.8 管件中密封圈不应损伤、污染、错位。

4.4.9 钢管插入管件承口的深度应与画线标识相吻合,保证钢管插入长度偏差不大于3mm,不得刮伤管件内的密封圈。

4.4.10 卡压钳口的尺寸及使用卡压工具的操作步骤应符合本规程附录A的规定。卡压时,卡压钳口与管件的规格应匹配;用双卡压式专用工具在管件密封环两侧进行卡压作业,钳口合严到位。

4.4.11 卡压后应用专用量规检查卡压接头,不得有漏卡或卡压不到位的情况,在更换卡压工具后和每天开工前应对首次卡压的三个接口进行检查,作业中间抽查数量不应小于5%;量规的规格和尺寸可按本规程附录A执行。

4.4.12 当燃气管道暂时不与用气设备连接时,应对管口进行封闭处理,防止水及其他杂物侵入;不锈钢管已安装接头尚未与燃气设备连接时,应在空置的管接头上加装堵丝。

4.4.13 暗封的燃气管道及相关设施应用管卡固定,管道应在严密性试验合格后进行装饰吊顶、橱柜的施工,并应符合现行国家标准《城镇燃气设计规范》GB 50028 的有关规定。

4.4.14 暗埋管道应在严密性试验合格、确认无泄漏情况下再覆盖防护钢板和砂浆抹面,并在外墙做出明显的标记。

5 试　　验

5.1　一般规定

5.1.1　燃气管道安装完毕后应进行强度试验和严密性试验。

5.1.2　燃气管道试验前应具备下列条件：

1　有经施工负责人审查批准的试验方案。

2　试验范围内的管道已按设计文件和图纸全部安装完毕，质量检验符合本规程相关的规定。

3　待试验的燃气管道应与不参与试验的计量装置、设备隔断，设备盲板部位及放散管已有明显标记。

4　试验介质应采用空气，严禁用可燃气体或水作试验介质。

5　试验用压力表应在检验的有效期内，其量程应为被测最大压力的1.5倍～2倍。弹簧压力表精度应为0.4级；U形水柱压力计的最小分度值不得大于1mm。

6　试验时发现的缺陷，应在试验压力降至大气压力后进行处理。处理合格后应重新进行试验。

7　暗埋敷设的燃气管道系统的强度试验和严密性试验应在未隐蔽前进行。

8　强度试验和严密性试验检查所用的发泡剂中氯离子含量不得大于25×10^{-6}。

9　试验工作应由施工单位负责实施，监理(建设)等单位应参加。

5.2　强度试验

5.2.1　试验范围应符合下列规定：

1　居民用户为引入管阀门至计量表进口阀门(含阀门)之间的管道；

2 工业和商业用户为引入管阀门至燃具前阀门(含阀门)之间的管道；

　　3 引入管阀门前的管道应和埋地管道连通进行试验。

5.2.2 进行强度试验前燃气管道应吹扫干净,吹扫介质宜采用空气,不得使用可燃气体。

5.2.3 强度试验压力为设计压力的1.5倍,且不得小于0.4MPa。

5.2.4 燃气管道进行强度试验时,达到试验压力后稳压1h进行检查,压力计量装置无压力降为合格。

5.2.5 强度试验应在达到试验压力的1/2时停止15min,用发泡剂检查管道所有接头无泄漏后,方可继续升压至试验压力。用发泡剂检查管道所有接头无泄漏,且观察压力表无压力降为合格。

5.3 严密性试验

5.3.1 严密性试验应在强度试验合格之后进行。

5.3.2 严密性试验应为引入管阀门至燃具前阀门之间的所有管道,包含管、接头、阀门。

5.3.3 中压管道系统的试验压力为设计压力且大于或等于0.1MPa,在试验压力下稳压不少于2h,用发泡剂检查连接点,无渗漏、压力计量装置无压力降为合格。

5.3.4 低压管道试验压力为设计压力且不应小于5kPa。在试验压力下的稳压时间：居民用户为15min,工商业用户为30min,以U形水柱压力计观察读数不下降为合格。

5.3.5 当试验系统中有不锈钢波纹软管时,在试验压力下稳压时间不宜小于1h,除对各密封点检查外,还应对外包覆层端面是否有渗漏现象进行检查。

5.3.6 试验应由施工单位负责实施。试验时发现的缺陷,应在试验压力降至大气压时进行修补。修补后应进行复试直至合格为止。

5.3.7 对暗埋管道的严密性试验分两次进行,第一次在未填补水泥、砂浆或封闭前,第二次在填补水泥砂浆隐蔽或封闭后。

6 验 收

6.0.1 施工单位在工程完工后,应先对燃气管道及设备进行自检,自检合格后再由监理单位组织进行预验收,预验收合格后向有关部门申请验收。

6.0.2 工程的竣工验收,应由建设单位组织监理单位、燃气经营企业及相关单位,应按本规程要求进行验收。

6.0.3 工程竣工验收应包括下列内容:

1 工程的各参建单位向验收组汇报工程实施的情况;

2 验收组应对工程实体质量进行抽查,管道敷设与管接头安装外观应符合要求;

3 对竣工验收的文件进行核查,文件内容应符合现行行业标准《城镇燃气室内工程施工与质量验收规范》CJJ 94 的有关规定;

4 签署工程质量验收文件。

6.0.4 新建工程应对全部装置进行检验;扩建或改建工程可仅对扩建或改建部分进行检验。

6.0.5 工程质量验收合格后,应将有关施工及验收记录纳入竣工资料。

6.0.6 验收合格的室内燃气管道工程超过 6 个月未通气使用时,应由供气单位进行复验,复验合格后,方可通气使用。

附录 A 卡压工具使用要点

A.1 一般要求

A.1.1 卡压工具(图 A.1.1)应由动力源(液压泵、电动机械加压)、油管、油缸、钳口组成。根据工作动力源分为液压工具和电动工具,可对 $DN15\sim DN100$ 规格的不锈钢管和管件进行卡压作业。

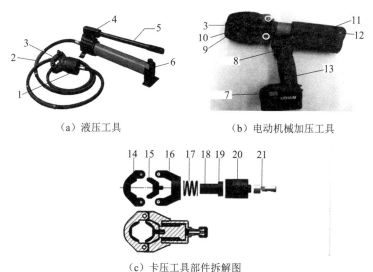

(a) 液压工具　　(b) 电动机械加压工具

(c) 卡压工具部件拆解图

图 A.1.1　卡压工具

1—钳座;2—油管;3—钳口;4—进回油开关;5—加力杆;6—进气阀;
7—电池按钮;8—电源开关;9—钳口压板;10—钳口校位点;11—压力数字;
12—指示灯;13—计数器;14—卡压上钳口;15—卡压下钳口;16—钳口座;
17—弹簧;18—活塞推杆;19—密封圈;20—油缸;21—活动螺母接头

A.1.2 卡压钳口及量规的尺寸(图 A.1.2)应符合表 A.1.2 的规定。

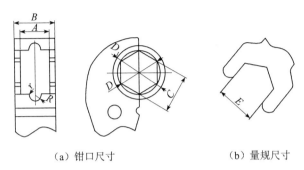

（a）钳口尺寸　　　　　（b）量规尺寸

图 A.1.2　卡压钳口的尺寸示意图

表 A.1.2　卡压钳口的尺寸

规格 DN	管子外径 Φ	A	B	C	D	D_1	R	r	E
15	16	10.6	16.4	15.9	17.6	20.8	2.1	1.0	16.1
20	20	13.0	19.0	19.8	22.0	26.2	2.5	1.0	20.2
25	25.4	15.0	22.0	24.6	27.1	31.5	2.5	1.0	25.0
32	32	17.0	25.0	31.0	34.9	41.5	3.5	1.0	31.4
40	40	20.0	28.0	38.4	41.8	50.6	4.0	1.5	38.8
50	50.8	22.0	31.0	48.5	53.4	62.7	4.5	2.0	49.0
60	63.5	32.0	41.0	62.5	68.6	75.2	5.0	2.0	63.0
65	76.1	32.0	41.0	74.1	81.5	89.7	5.5	2.0	74.6
80	88.9	32.0	41.0	85.4	94.8	103.5	6.0	2.0	86.0
100	101.6	34.0	43.0	99.0	109.0	116.0	7.0	2.5	105.0

注：管件压接后，用量规测量 C 端面，量规顺利通过为压接合格。

A.1.3　若采用其他多边形的卡压连接时，其管子和管件连接组合件的抗拉拔性能和气密性试验应符合现行行业标准《燃气输送用不锈钢管及双卡压式管件》CJ/T 466 的有关规定，并配备相应的检测量规。

A.2 液压工具

A.2.1 液压工具应按下列步骤进行操作：

1 取出液压工具，安装使用的钳口，并用手按压钳口活动块检查它的弹出是否顺畅；

2 将插好管的管件放入钳口内，插好钳口的插销；

3 扭紧进回油开关，上下提压液压工具的加力杆，下钳口缓慢上升，钳口慢慢合拢，达到额定压力，钳口闭合时，停止提压加力杆，松开进回油开关，上下钳口缓慢放开，一次卡压完成；

4 拔出钳口插销，取出管材管件，用专用量规检验卡压是否符合要求；

5 每次完工后，要把工具保养好放回工具箱。

A.2.2 液压工具使用时，应注意下列事项：

1 液压工具应专人保管，操作人员需经使用工具技术培训合格后方可上岗；

2 卡压操作时，人员不得与钳口活动方向处于同一轴线上，应处于钳口的侧面；当悬空作业时，工具下方不得站人；

3 工具的油路系统禁止进入水、沙和泥等杂物。

A.2.3 液压工具的故障排除及维修方法可按表 A.2.3 执行。

表 A.2.3 液压工具的故障排除及维修方法

故障现象	产生原因分析	建议排除故障方法
油泵不上压或压力不足	1.止回阀未关严或磨损	顺时针拧紧止回阀，或更换止回阀钢珠
	2.油路或接头漏油	找出泄漏点拧紧或更换接头密封圈
	3.油箱内油量不足或油液变质	加油至90%（手动泵 20# 液压油，电动泵（68# 液压油）或清理更换变质油
	4.吸油阀或油路堵塞	清理吸油阀过滤或油路
钳座不复位或复位缓慢	1.复位弹簧卡死	用铜棒轻敲活塞杆，使其垂直复位
	2.活塞杆端面损伤变形	用锉刀修圆变形部位，砂纸打光毛刺
	3.油管或快速接头堵塞	卸开接头检修，清理通道，如发现接头内顶针变形需更换

续表 A.2.3

故障现象	产生原因分析	建议排除故障方法
钳口挤压成型效果不理想	1.钳口滑动模块损伤变形	用锉刀修复变形处,用砂纸打毛刺
	2.钳口内部弹簧折断变形	更换新弹簧
	3.钳口内部进入泥沙	卸开清理保养

A.3 电动工具

A.3.1 电动工具应按下列步骤进行操作：

1 用除毛刺器将管端的毛刺完全除去,将钢管笔直的插入管件内,不得划伤密封圈；

2 将电动工具钳口上的滚轮、钳口凹槽擦拭润滑油后对准管件的端部内装有密封圈的环状凸部,按住开关进行卡压作业,直到电机停止、钳口闭合后松开开关(中途不得"开"或"关"),卡钳将自动回位,完成工作；

3 用量规检查确认卡压尺寸是否到位。

A.3.2 使用电动工具时,应注意下列事项：

1 应按说明书正确操作,严禁超出使用范围或过载使用；

2 不得自行开启、修理、更换零件或改装工具；

3 及时清理钳口内、滚轮上的异物并定期加润滑油。

A.3.3 电动卡压工具的维护和保养应符合下列规定：

1 主机的保养和维护应符合下列规定：

　　1）卡压次数达到2000次后,应清洁钳口、加润滑油及加固螺丝；

　　2）使用中若钳口有闭合不紧的现象时,应调节尾部的调节旋钮；

　　3）当卡压次数达到20000次时应将电动工具送回厂家检修保养；

4）电机过热时应停止使用,钳口过损后应该更新,长期不使用电池要定期充电。
2 钳口的保养和维护应符合下列规定：
1）卡压后应清洁钳口凹槽,防止异物存留在钳口凹槽里影响管卡压效果；
2）卡压管件若出现管件起褶、尺寸过大等现象时,应更换钳口；
3）卡压次数达到4000次时应更换钳口。
3 电池与充电器的使用应符合下列规定：
1）充电器与电池应放置在防尘、防潮、远离火源的地方；
2）严禁冲击或损伤电池,防止撞击产生爆炸或释放出有害气体；
3）不得在电池或电池组上直接焊接；
4）使用相配的充电器充电时应将插头接在交流220V插座,并将电池插入卡槽中充电,注意观察当充电灯不闪时充电完毕。

本规程用词说明

1 为便于在执行本规程条文时区别对待,对要求严格程度不同的用词说明如下:
　　1)表示很严格,非这样做不可的:
　　　正面词采用"必须",反面词采用"严禁";
　　2)表示严格,在正常情况下均应这样做的:
　　　正面词采用"应",反面词采用"不应"或"不得";
　　3)表示允许稍有选择,在条件许可时首先应这样做的:
　　　正面词采用"宜",反面词采用"不宜";
　　4)表示有选择,在一定条件下可以这样做的,采用"可"。
2 条文中指明应按其他有关标准执行的写法为:"应符合……的规定"或"应按……执行"。

引用标准名录

《建筑抗震设计规范》GB 50011
《城镇燃气设计规范》GB 50028
《建筑机电工程抗震设计规范》GB 50981
《金属波纹管膨胀节通用技术条件》GB/T 12777
《城镇燃气室内工程施工与质量验收规范》CJJ 94
《城镇燃气标志标准》CJ/T 153
《建筑用手动燃气阀门》CJ/T 180
《燃气输送用不锈钢管及双卡压式管件》CJ/T 466

中国工程建设协会标准

双卡压式连接不锈钢燃气管道
技术规程

CECS 461：2016

条文说明

目 次

1 总　　则 ……………………………………………………（29）
2 材　　料 ……………………………………………………（30）
　2.1 材料选用 …………………………………………………（30）
　2.2 材料的性能要求 …………………………………………（30）
3 设　　计 ……………………………………………………（32）
　3.1 一般规定 …………………………………………………（32）
　3.2 沿外墙敷设的管道 ………………………………………（32）
　3.3 室内敷设的管道 …………………………………………（33）
　3.4 管道附件 …………………………………………………（33）
4 施　　工 ……………………………………………………（35）
　4.1 一般规定 …………………………………………………（35）
　4.2 材料管理 …………………………………………………（35）
　4.3 施工准备 …………………………………………………（36）
　4.4 安装 ………………………………………………………（36）
5 试　　验 ……………………………………………………（37）
6 验　　收 ……………………………………………………（38）

1 总　　则

1.0.1 本条是制定本规程的目的。由于燃气有一定的压力，又具有易燃易爆甚至有毒性的特性，因此必须提高燃气管道工程的施工质量，以确保安全供气。

1.0.2 本条规定了本规程的应用范围。根据《燃气输送用不锈钢管及双卡压管件》CJ/T 466 的有关规定，适用于室内燃气管道的最高压力为 0.4MPa、公称尺寸不大于 DN100 的不锈钢管采用双卡压式连接方式。

1.0.3 双卡压不锈钢燃气管道工程的设计、施工及验收，除应符合本规程的规定外，尚应符合国家现行标准《城镇燃气设计规范》GB 50028、《城镇燃气室内工程施工与质量验收规范》CJJ 94 的有关规定。

2 材 料

2.1 材料选用

2.1.1 不锈钢管、双卡压式管件和橡胶密封圈的材质与规格应符合《燃气输送用不锈钢管及双卡压式管件》CJ/T 466 和国家现行相关标准的规定。因为现行行业标准《燃气输送用不锈钢管及双卡压式管件》CJ/T 466 是与本规程相对应的产品标准。其他现行的相关国家标准有：《流体输送用不锈钢焊接钢管》GB/T 12771，这是不锈钢管行业的唯一母标；《不锈钢卡压式管件组件 第1部分：卡压式管件》GB/T 19228.1 是不锈钢管、双卡压管件和双卡压连接方式的主要文件。

管件中的橡胶密封圈，选用材料应以丁腈橡胶、氢化丁腈橡胶和氟橡胶为主体。

2.1.2 管道支架等配件的材质，宜与不锈钢管和管件一致，以避免低档材质的配件因过早腐蚀而影响整个管道系统的使用寿命。

2.1.3 暗埋管道会与混凝土、钢筋等建筑材料接触，混凝土中的氯离子可能会超标，而与钢筋接触时由于电位差的存在，都会对不锈钢管道产生腐蚀，影响使用寿命，因此要求暗埋的燃气管道应采用覆塑管道将不锈钢与建筑材料隔绝，以保证管道寿命。

2.2 材料的性能要求

2.2.1 燃气管道应选用表 2.2.1 所列的不锈钢牌号的材料。本规程推荐使用 06Cr17Ni12Mo2（S31608）/022Cr17Ni12Mo2（S31603）材料，是鉴于其含 Ni 量高于 06Cr19Ni10（S30408）/022Cr19Ni10（S30403），且含有能提高耐腐蚀能力的 Mo 元素。推荐 019Cr19Mo2NbTi（S11972）双相钢，同样是因为该材料含有

Mo、Nb、Ti耐腐蚀的元素。由此把住材料关以提高燃气管道的使用寿命,并能进一步提升我国燃气管道的用材水准。

2.2.2 不锈钢管、管件和两者间的连接接头,应按现行行业标准《燃气输送用不锈钢管及双卡压式管件》CJ/T 466的有关规定,进行本条规定的管抗拉强度等多项试验,才能保证管、管件的质量和连接接头的可靠性。

3 设 计

3.1 一 般 规 定

3.1.1 燃气管道所选用的材料及配件的设计使用寿命不应少于30年,暗埋管不应少于50年,是依据现行国家标准《城镇燃气设计规范》GB 50028的有关规定的。

3.1.2 现行行业标准《燃气输送用不锈钢管及双卡压式管件》CJ/T 466是燃气管道的产品标准,其中耐高温性能是薄壁不锈钢管管道用于燃气的特有要求,主要是为了防止在火灾中发生二次灾害,而其他种类的管道尤其是用于供水的管道无须此项要求。

3.1.3 引入管是燃气管道的重要组成部分,但双卡压连接的管道未涉及引入管,所以直接按照现行国家标准《城镇燃气设计规范》GB 50028的有关规定执行。

3.1.5 燃气管道在连接阀门时,必要时宜安装活接头,是指燃气管道与阀门以螺纹连接时,当阀门需要维护或更换的场合宜安装活接头。

3.1.6 燃气管道除双卡压连接外,遇阀门等管道附件的连接,应相应采用螺纹、法兰和焊接连接等连接形式。

3.1.7 本条引自《城镇燃气室内工程施工与质量验收规范》CJJ 94的有关规定。

3.1.8 表3.1.8中的规定引自现行行业标准《城镇燃气室内工程施工与质量验收规范》CJJ 94的有关规定,相关具体要求引自现行国家标准《城镇燃气设计规范》GB 50028的相关规定。

3.2 沿外墙敷设的管道

3.2.5 户外燃气管道由于受到气候变化以及日照等因素的影响,

在使用过程中的温度变化范围可以达到－10℃～60℃,因此应考虑温度变化对管道的影响设置补偿器。

3.2.6 当管道爬外墙时,可能会受到直击雷和侧击雷的影响,因此应该考虑防雷的相关要求。

3.2.7 燃气管道的抗震设计,应符合现行国家标准《建筑机电工程抗震设计规范》GB 50981 的有关规定。

3.3 室内敷设的管道

3.3.1～3.3.8 条文根据现行国家标准《城镇燃气设计规范》GB 50028 和现行行业标准《城镇燃气室内工程施工与质量验收规范》CJJ 94 的有关规定。

3.4 管 道 附 件

3.4.1 管道与管道附件及设备之间的连接,一般说来,公称尺寸在 $DN50$ 及以下的多为螺纹连接,少数也有法兰连接,$DN65$ 及以上的多为法兰连接。最终还得按管道附件及设备的接口形式而定。

3.4.2 整个管道系统宜选用相同材质的管道附件,以保证整个管道系统不受电化学腐蚀。各种金属的电极电位,是以氢作为零电位来比对的。不锈钢管在非活性(钝态)时,显示正电位常态,如果与呈负电位的碳钢管连接在一起,就会产生电化学腐蚀。而铜与不锈钢都属于等电位的金属,两者连接不会产生电子的定向流动,也就不会产生电化学腐蚀。因此,管道接口两端(如采用法兰、螺纹连接)若材质不同时,除铜材质的附件外,均应采取防止电化学腐蚀的措施。

当不锈钢管与碳钢管的连接无法回避时,应对的措施是,两者间用塑质接头转换加以隔离。如两者间是法兰连接,可选用带有橡胶套的不锈钢紧固件来预防电化学腐蚀。

燃气管道与阀门、气表、仪表等管道配套设备连接时,可通过转换接头或活接头进行,但需注意只能在不产生电化学腐蚀效应的材料之间才能直接连接。

3.4.4～3.4.10 条文规定了燃气管道用的支架的种类、形式、材料及设置方式,根据管道的自重及伸缩等指标和实际工程中的经验,列出了支撑的形式、设置距离以及固定件等。

3.4.11～3.4.15 条文规定了燃气管道补偿的相关要求,包括补偿的方式、计算、设置及产品标准等。选择波形膨胀节的波数时应计算其弯曲变形、疲劳寿命和安全系数,计算方法及相关要求应符合现行国家标准《金属波纹管膨胀节通用技术条件》GB/T 12777的有关规定,考虑到燃气管道的安全要求应增加30％波数的富余量。

4 施 工

4.1 一般规定

4.1.3、4.1.4 由于燃气具有的特殊性,因此,采用双卡压式连接的不锈钢燃气管道工程的施工单位,应具有相应的资质证书;从事燃气管道施工的人员,应经过专业培训,方可上岗作业,以确保工程质量。不锈钢管与管件之间采用双卡压式连接后,其结构剖面,有六角形、八角形和圆形等不同形式。一般说来,当 $DN \leqslant 50$ 时,双卡压式连接后的结构剖面为六角形和八角形;当 $50 < DN \leqslant 100$ 时,双卡压式连接后的结构剖面为圆形。

4.1.5 不锈钢燃气管道应设有明显标识,以防其他管道维修时因混淆而发生意外事故。

4.2 材料管理

4.2.1～4.2.3 条文对不锈钢管及管件在进场验收过程中做出的规定。对每批次进场的物资,应由监理或建设单位按照本规程第4.2.2条、第4.2.3条的要求进行验收,以弥补发货或物资运输中可能出现的差错。验收时发现对产品质量有异议时,应在供需双方和监理方共同见证下,向有资质的检测单位进行送检。

因输送燃气的且外径尺寸大于50mm的不锈钢管和管件属国家强制性条例规定的国家特种设备(压力管道)的范畴,因此生产企业应具有国家特种设备(压力管道)制造许可证。

4.2.4 本条对不锈钢管及管件在储运过程中做出的规定。严禁与碳钢、铝等金属接触,如本规程第3.4.2条所述,是为了防止不同金属因电位差悬殊而出现电化学腐蚀的现象;不得与混凝土、砂砾等接触,以避免不锈钢管及管件表面因玷污而腐蚀;此外,是为了防止储运过程中对产品造成意外的损坏、污染及产生不必要的浮锈。

4.3 施工准备

4.3.3 选用专用砂轮片的目的,以防不锈钢管表面被粘上铁沫。本条所述"专用"两字的含义,一是指选用普通的砂轮片,专一切割不锈钢管,而不能混切碳钢等其他金属。二是指选购专用切割不锈钢的砂轮片,但其价位高于普通用的砂轮片。

4.3.4 奥氏体不锈钢材料,由于超含量的氯离子的存在,容易造成不锈钢的点腐蚀。因此,与其匹配的法兰中的非金属垫片,对氯离子的含量也做出了明确的规定。

4.4 安 装

4.4.1~4.4.14 本节条文详述了管道双卡压连接的步骤和应符合的规定,是为了确保其安装质量。

5 试 验

本章引自《城镇燃气室内工程施工与质量验收规范》CJJ 94 的有关规定。

6 验 收

6.0.1～6.0.5 条文引用了《城镇燃气室内工程施工与质量验收规范》CJJ 94 的有关规定。

6.0.6 验收合格后的燃气管道工程,当超过 6 个月未通气时,应由供气单位复验合格后方可通气使用。这是出于延时后的自然因素与人为因素的考虑,同时,强调必须由专业的供气单位来复验,以确保安全供气。